NOUVELLES

Histoires drôles

Texte original
Jeanne Olivier

Adaptation thématique
Paul Lacasse

Illustration de la couverture
Philippe Germain

Nouvelles Histoires drôles n° 82
Illustration de la couverture : Philippe Germain
Conception graphique de la couverture :
productions Colorimagique

Dépôts légaux : 1e trimestre 2007
Bibliothèque nationale du Québec
Bibliothèque nationale du Canada

ISBN : 978-2-7625-2766-7
Imprimé au Canada

Les éditions Héritage inc.
300, rue Arran
Saint-Lambert (Québec) J4R 1K5
Téléphone : (514) 875-0327
Télécopieur : (450) 672-5448
Courriel : information@editionsheritage.com

À tous ceux et celles
qui aiment collectionner,
écouter et raconter
des blagues.

DES BLAGUES
DE GARS ET
DE FILLES

Deux amis psychiatres causent ensemble :

– Comment vont les affaires ?

– Très bien. Imagines-toi que j'ai un cas formidable. C'est un cas de dédoublement de personnalité.

– Ce n'est pas si extraordinaire. J'en ai déjà vu moi-même.

– Peut-être, mais ce que tu ne sais pas, c'est que les deux personnalités me paient.

•

Un prêtre est en train de baptiser un bébé. Il se tourne vers la mère de l'enfant pour lui demander quel nom elle désire donner à son rejeton. Et la mère de répondre :

– Marie-Josée-Isabelle-Julie-Mélanie-Élisabeth-Lise Bouchard. Alors le prêtre se tourne du côté de son assistant et lui dit :

– Vite, cours chercher les pompiers. On va manquer d'eau !

•

Un enfant nigaud joue seul sur la plage, soudain il regarde en l'air et voit un goéland qui laisse tomber une roche directement au-dessus de lui.

– Une chance que j'avais la bouche ouverte sans ça, je la recevais directement sur le visage. De dire le petit nigaud!

•

Un Inuit attend son amoureuse sur la banquise. Le temps passe et elle n'arrive toujours pas. À bout de patience, il regarde son thermomètre et dit:

– Si elle n'est pas là à moins vingt, je m'en vais!

•

Au restaurant:

– Garçon, dit le client, je tiens à vous féliciter sincèrement pour la propreté de la cuisine.

– Mais comment pouvez-vous dire ça? L'avez-vous visitée?

– Non, mais je suis sûr qu'elle doit être très propre parce que mon repas a un fort goût de savon!

•

– Ouache! Je viens de trouver un petit ver dans ma salade!

– T'es chanceux!

– Pourquoi?

– Tu aurais pu trouver la moitié d'un ver dans ta salade!

•

Une antilope entre au restaurant en compagnie d'un superbe lion. Le serveur lui demande:

– Que prenez-vous?

– Donnez moi un grand bol d'eau et une assiette d'herbe.

– Et votre ami, que prendra-t-il?

– Mon ami n'a pas faim.

– Ah non?

– Écoutez, croyez-vous vraiment que je sortirais avec lui s'il avait faim.

•

Philippe : En allant se percher sur un fil électrique, un oiseau voit sur le pylône un panneau qui dit : « Attention ! Danger de verglas. Ne pas toucher aux fils » Que fait l'oiseau ?

Karine : Je ne sais pas.

Philippe : Il se perche sur le fil, car les oiseaux ne savent pas lire.

•

Au restaurant :

– Mais faites attention ! Vous venez de renverser de la soupe sur mon chandail !

– Ne vous en faites pas, madame ! Il en reste encore beaucoup dans la cuisine !

•

Nadia : Quelle étoile peut-on atteindre sans vaisseau spatial ?

Christophe : Je ne sais pas.

Nadia : L'étoile-ette. (Les toilettes)

•

Après une partie de poker qui a duré toute la nuit, un des joueurs doit plus de dix mille dollars à ses adversaires.

– Je refuse de payer, dit-il avec énergie.

– Mais pourquoi ?

– Quelqu'un a triché.

– Ah oui ? Qui ?

– Moi. . .

•

Le policier : Monsieur, vous venez de passer sur un stop.

L'homme : J'espère que je ne l'ai pas brisé !

Le policier : Hé le comique ! Vous êtes mieux d'arrêter vos farces plates sinon je vous donne une amende.

L'homme : Hum, je n'aime pas tellement les amandes. Mais je prendrais bien des arachides !

•

Le patron : Je vous engage, vous commencez ce soir, dans une heure.

Le gardien de nuit : Je suis très heureux !

Le patron : Est-ce que je peux vous offrir un café ?

Le gardien de nuit: Non merci, ça m'empêche de dormir!. . .

•

Deux amis marchent dans les bois quand tout à coup un ours sors et se braque devant eux. Les hommes paniquent et un des deux jette son sac à dos par terre, enlève ses souliers de marche en vitesse et sort ses souliers de course. Il tente frénétiquement d'attacher ses lacets quand l'autre lui dit :

– Veux-tu bien me dire ce que tu fais ? Tu ne crois quand même pas être capable de battre un ours à la course ?

– J'ai pas besoin de battre l'ours, j'ai juste besoin de te battre toi !

•

Deux pêcheurs discutent :

– C'est un lac sensationnel pour la truite !

– Je comprends ! Ça fait cinq jours que je pêche et pas une truite ne veut le quitter !

•

Qu'est-ce que ça fait un homme debout sur un banc ?

Ça fait un homme de moins sur la terre !

•

Dans le métro, un homme lit son journal. Chaque fois qu'il finit une page, il la déchire, en fait une petit boulette et la jette par terre.

– Pourquoi vous faites ça ? lui demande Maude.

– C'est pour éloigner les crocodiles.

– Mais il n'y a pas de crocodile ici !

– Ça prouve que c'est efficace, hein ?

•

Le juge : C'est la cinquième fois que vous vous retrouvez devant moi à la cour ! Je vous avais pourtant dit que je ne voulais plus jamais vous revoir ici !

Le bandit : Je le sais, monsieur le juge. Et je l'ai dit au policier qui m'a arrêté, mais il n'a pas voulu me croire !

•

Le client :

– Vous devriez me prendre moins chers pour me couper les cheveux, j'en ai si peu ! Le coiffeur :

– Oh non ! dans votre cas, ce n'est pas la coupe des cheveux que nous faisons payer, c'est le temps perdu à les chercher.

•

C'est un jeune cadre dynamique qui s'apprête à quitter son bureau vers les 20 heures, lorsqu'il croise le directeur général de sa boite en face du broyeur de documents, une feuille de papier à la main. . .

– Ah jeune homme ! Vous allez pouvoir m'aider avant de partir : Ceci (en montrant son papier) est très important et ma secrétaire vient de partir ; sauriez-vous faire fonctionner cette machine ?

– Certainement Monsieu. Et il branche la prise, insère le papier dans la fente et celui-ci est aussitôt broyé.

– Je vous remercie. Une copie suffira.

•

Une dame à son psychiatre :

– Docteur, mon mari croit que je suis folle parce que j'aime les crêpes !

– Mon Dieu, madame, je ne vois rien de maladif dans ce goût.

– Moi aussi j'aime beaucoup les crêpes !

Alors, la dame épanouie :

– Vraiment ? Alors, venez chez moi, j'en ai plein les armoires, les tiroirs et les placards !

•

– Tu ressembles à ma femme.

– Pas possible !

– Oui, à part la moustache.

– Mais je n'ai pas de moustache.

– Toi, non. Mais elle, oui !

•

Ça fait plus d'une demi-heure qu'une dame essaie des chaussures au magasin.

– Ah ! enfin, voilà des souliers qui me font parfaitement bien !

– Évidemment, madame, ce sont les souliers que vous aviez dans les pieds en entrant ici !

•

– Moi, je suis un passionné d'histoire ! dit Simon à son amie Martine. Tu peux me poser des questions !

– D'accord ! Sais-tu ce qu'a fait Christophe Colomb après avoir mis un pied en Amérique ?

– Il a mis l'autre pied !

– Ha ! Ha ! Et ça, dit Martine en

montrant un minuscule bout de bois, tu sais ce que c'est ?

– Heu...non.

– C'est le cure-dents de Jacques-Cartier !

•

La patiente : J'ai beaucoup de difficulté à prendre des décisions.

Le médecin : Est-ce que ça vous arrive souvent ?

La patiente : Oui et non !

•

L'invitée demande à la maîtresse de maison :

– Je ne comprends pas pourquoi vous avez mis une bâche sur l'aquarium ! Nous ne pouvons plus voir vos si jolis poissons !

– Ça ne fait rien ! L'essentiel, c'est qu'ils ne s'aperçoivent pas qu'il y a une friture d'anchois pour dîner. Ils sont tellement susceptibles !

•

Deux amis discutent :

– Comment as-tu eu l'idée de commencer une collection de boomerangs ?

– C'est simple. Chaque fois que j'en ai reçu un, j'ai été incapable de me débarrasser de l'ancien.

•

Dans une grande ville, un passant demande à un autre :

– Combien de temps me faut-il encore pour arriver à la Poste ?

– Continuez votre chemin ! répond l'homme interrogé.

– Eh bien, s'écrit le premier, vous n'êtes pas aimables, dans ce pays. Il se remet à marcher sur le trottoir. A peine a-t-il fait dix mètres que l'autre l'appelle :

– Hé, monsieur ! Excusez-moi mais il fallait d'abord, que je constate à quelle allure vous marchiez. De ce pas-là, ça vous fera 15 minutes.

•

C'est trois vampires qui s'en vont dans un bar pour vampire, le premier vampire commande un grand verre de sang chaud, le deuxième commande un grand verre de sang frais et le troisième commande un grand verre d'eau chaude, les deux premiers vampires regardent le troisième avec étonnement et lui demandent pourquoi il prend un verre d'eau chaude.

Alors le troisième vampire répond : Ben j'ai trouver un vieux bandage, je vais me faire une tisane !

•

Gabriel : As-tu déjà vu un chat manger une souris ?

Jade : Non.

Gabriel : Il commence toujours par la tête. Sais-tu pourquoi ?

Jade : Non.

Gabriel : Il garde la queue pour se faire un cure-dents !

•

Un jeune garçon et une jeune fille, sur le point de se marier, meurent tous les deux dans un accident de voiture. Arrivés au paradis, ils demandent à St-Pierre si c'est possible de se marier.

St-Pierre réfléchit et dit :

– Ca peut se faire, mais vous devrez attendre un certain temps. Une centaine d'années plus tard, un prêtre va les voir et propose de les marier. Ils acceptent avec joie. Les années passent, et les choses ne vont plus aussi bien entre eux.

Ils retournent donc voir St-Pierre et demandent :

– Excusez-nous, St-Pierre, nous avons pensé à tort que nous serions heureux pour l'éternité. Est-il possible de divorcer ?

St-Pierre répond aussitôt :

– Vous voulez rire ? Ça m'a pris cent ans pour vous trouver un prêtre ici au paradis, comment voulez-vous que je vous trouves un avocat, il n'y en a jamais un qui est entré ici !

•

– L'autre jour, un éléphant a marché sur mes pieds et je n'ai même pas eu mal!

– Comment ça?

– J'avais des chaussures trop grandes pour moi!

•

Une compagnie d'électricité, cherche des artisans, pour installer des poteaux de téléphones. Trois se présentent, dont un newfie. Ils leurs font faire un essai, et leur donne 25 poteaux chacun à installer en dix heures. Le premier artisan en installe 24. Le second 25. Quand à l'artisan newfie, lui il en installe 4. La compagnie trouve étrange que l'un des trois artisans n'ait installé que quatre poteaux et demande au newfie comment cela a bien pu se faire. Le newfie répond que les autres ont triché, car il ne les ont pas planté jusqu'au bout.

•

Un homme, l'air affolé, entre chez lui en courant et dit à sa femme :

– Chérie ! C'est épouvantable, chaque fois que je dis « abracadabra », tout le monde disparaît ! Chérie ! Chérie ! Où es-tu passée ?...

•

Un maître nageur interpelle un nageur :

– Hé ! vous là-bas, je vous ai vu, vous avez pissé dans la piscine !

– Mais, tout le monde pisse dans la piscine !

– Oui ! mais pas du plongeoir !!!

•

Deux chasseurs discutent :

– Je suis bien meilleur que toi.

– Je ne te crois pas.

– Je te gage que tu n'es même pas capable de chasser un chevreuil.

– Eh bien, je vais te prouver que je suis capable.

Et, il part dans les bois. Au bout

d'une semaine, il revient voir son copain.

– Tu avais raison...tu es meilleur que moi.

– Ah ! ah ! Alors ? Tu n'as pas réussi à chasser un chevreuil ?

– Eh non...j'ai attrapé douze marmottes, six orignaux, trois ours, sept perdrix et huit renards, mais pas un seul chevreuil.

•

Un enfant va à l'opéra pour la première fois écouter la « Tosca ». Très intéressé et curieux, il demande à son grand-père qui l'accompagne :

– Qui est le grand monsieur qui tourne le dos au public ?

– C'est le chef d'orchestre !

– Pourquoi menace-t-il avec son bâton, la dame qui est sur la scène.

– Il ne la menace pas !

– Ah bon ! Alors pourquoi crie-t-elle ?

•

Un comédien va voir le directeur du théâtre.

– Monsieur, je n'ai plus un sou. Pourriez-vous me donner une petite avance ?

– Mon cher, c'est impossible ! Il va falloir attendre après la représentation de ce soir.

– Mais je ne peux plus attendre ! J'ai une barbe de trois jours et je n'ai même pas de quoi me payer le barbier !

– Désolé, je ne peux rien faire pour vous.

– Mais je ne peux pas jouer Roméo et Juliette sans me raser !

– Oh ! vous avez raison...Alors je change l'affiche. Ce soir vous jouerez Barbe-Bleue !

•

Trois hommes étaient assis sur un banc dans un parc public. Celui du centre lisait son journal. Les deux autres à ses côtés faisaient semblant de pêcher. Ils accrochaient un leurre imaginaire à

leur ligne, exécutaient des lancers légers, ramenaient les poissons tout aussi sortis de leur imagination, relançaient leur ligne.

Un policier s'arrêta en voyant leur curieux manège. S'approchant, il demanda à celui qui lisait son journal s'il connaissait ses deux voisins.

Ce dernier admit qu'ils étaient ses amis.

– Dans ce cas, fit le policier, vous feriez mieux de les faire sortir du parc.

– Oui, chef! répondit l'homme qui se mit à ramer comme un forcené.

•

Deux vieux amis se rencontrent après plusieurs années sans s'être vus. Ils discutent sur une terrasse et dans la conversation, l'un dit à l'autre :

– Ta femme est-elle toujours aussi jolie ? L'autre répond :

– Oh oui, ça lui prend juste un peu plus de temps !

•

Deux cannibales discutent après le repas.

– Hum ! C'était délicieux ! Il faut avouer que le chef a fait un excellent rôti !

– Oui ! Il va nous manquer !

•

– Savais-tu qu'on descend du singe ?

– Eh bien, toi peut-être. Mais certainement pas moi !

•

Un canard et une poule se promènent.

– Brrr ! fait la poule, il fait un froid de canard !

– Tu as raison, j'ai la chair de poule !

•

Le client : Ces chiens chauds ont l'air dégueulasse.

Le serveur : Je n'y peux rien, monsieur, je ne suis que garçon de table, pas vétérinaire.

•

Demandée : Dactylo pour copier des documents secrets. Ne doit pas savoir lire.

•

Deux mères parlent de leurs enfants :

– Moi, mon gars est comme une rivière.

– Qu'est-ce que tu veux dire ?

– Il suit son cours sans sortir de son lit.

•

Deux ennemis se croisent sur la rue :

– Oh ! C'est toi ! N'oublie surtout pas ce que je t'ai dit la semaine dernière.

– Quoi donc ?

– Si dans le passé j'ai pu dire quelque chose qui t'a insulté, surtout n'hésite pas à m'en parler. Je recommencerai avec plaisir !

•

C'est une fois un newfie et un menuisier. Ils vont réparer le toit d'une grange. Rendu en haut le newfie jette l'échelle en bas. Le menuisier dit :

– Tu es malade ! Comment on vas faire pour descendre ? Le newfie lui répond :

– Tu vas voir on descendras bien... Quelques heures plus tard quand le toit est fini d'être réparé, le menuisier voit le newfie en bas. Le menuisier lui dit :

– Comment t'as fait pour descendre ? Le newfie lui répond :

– Ben j'ai sauté dans le tas de fumier ! Le menuisier :

– Tu n'as pas calé ? Le newfie lui répond :

– Ben non, jusqu'aux chevilles. Le menuisier saute et il cale jusqu'à la bouche. Il lui demande :

– Comment ça se fait que toi t'as calé jusqu'aux chevilles ?

– Ben j'ai sauté la tête première, répond le newfie !

•

Docteur, c'est affreux ! Mon petit vient d'avaler une souris vivante !

– Bon... dites à votre gamin d'ouvrir la bouche, et mettez-lui un bout de fromage devant, le fromage va attirer la souris... J'arrive de suite. Au bout d'un quart d'heure, le docteur arrive et voit le gosse la bouche ouverte, et la mère qui brandit une sardine juste devant le visage.

– Quoi ?!!! Je vous avais dit du fromage, pas du poisson !

– Peut-être, fait la mère, mais maintenant c'est le chat qu'il faut faire sortir !

•

À l'aéroport, une très grande vedette est accueillie par des milliers de personnes. Elle demande aux policiers qui repoussent la foule :

– Pourquoi vous faites ça ?

– C'est pour des raisons de sécurité.

– Sécurité ? Je ne voulais pas leur faire mal !

•

Un aveugle, à qui l'on vient d'offrir une râpe à fromage, pleure :

– Je n'ai jamais lu un livre aussi triste.

•

Un vieil homme qui se baladait sur la plage se prend les pieds dans un truc métallique. En dégageant l'objet du sable et en le nettoyant, il se rend compte qu'il s'agit d'une lampe magique de laquelle sort évidemment un génie. Le génie lui demande s'il a un vœu qu'il aimerait voir exaucé. Le vieil homme lui dit :

– Plutôt que d'exaucer un vœu, est-ce qu'il est possible de lever une malédiction qui me frappe depuis quarante ans ?

– Oh oui, pas de problème, répond le génie. Mais il faut me donner la phrase exacte qui a mis le sort en place. Sans hésiter, le vieux répond :

– Je vous déclare maintenant mari et femme !

•

Chez le dentiste :

– Pensez-vous que ça va me faire mal ?

– Bof, peut-être un tout petit peu ! Le dentiste se prépare à opérer.

– Toi, dit-il au jeune garçon, ouvre la bouche.

– Et vous, dit-il tout bas à son assistante, donnez-moi mes bouchons pour les oreilles !

•

Une très grosse dame va visiter son médecin :

– Docteur, je voudrais bien perdre du poids.

– D'accord. Vous allez d'abord me dire quelles sont vos habitudes alimentaires.

– Oh ! Je ne mange pas beaucoup, je ne bois jamais d'alcool et je fais de l'exercice tous les jours.

– Avez-vous autre chose à ajouter ?

– Oui, je suis très menteuse.

•

Le juge : Monsieur Roberge, vous avez volé la bicyclette de madame Boucher. Je vous condamne donc à une semaine de prison.

L'accusé : Volé ! le mot n'est pas tout à fait exact. Disons que je l'ai empruntée pour longtemps...

Le juge : Ah bon, ma phrase à moi n'était pas non plus tout à fait exacte. Je vous condamne plutôt à sept jours de prison.

•

Le conducteur du camion à son compagnon de voyage :

– Regarde l'affiche, au dessus du tunnel « hauteur 3 mètres ».

– Ouais, j'ai vu ça...

– Notre camion a 4,1 mètres de haut. Qu'est-ce qu'on fait ?

– On passe quand même ! Il n'y a pas de policiers aux alentours !

•

La mère de Francis envoie un mandat-poste à son fils, lequel elle accompagne de ce petit mot:

Je t'envoie les 50$ que tu m'as demandés. Surveille bien tes fautes lorsque tu m'écris ; je te signale que 50 ne prend qu'un zéro!

•

Un malfaiteur a tenté de prendre en otage un autobus remplie de photographes professionnels. La police a reçu 95 photos de suspect.

•

Deux copines discutent:

– Pourquoi ta nouvelle petite sœur pleure tout le temps?

– Si tu n'avais pas de dents, presque pas de cheveux et si tes jambes étaient si fragiles que tu ne pouvais même pas te tenir debout, tu ne penses pas que tu pleurerais toi aussi?

•

Alexandre : Ma voisine fait une grossesse nasale.

Louise : Mais qu'est-ce que c'est que ça ?

Alexandre : Elle attend un nouveau-nez !

•

Le gardien dit à un homme qu'il trouve en train de pêcher :

– Dites donc, vous n'avez pas vu l'écriteau « Terrain privé. Défense de pêcher ».

– Oh non ! Je ne lis jamais ce qui est privé !

•

Deux voleurs se rencontrent une nuit dans une même maison.

– Qu'est-ce que tu fais ici ? demande un des voleurs.

– Je suis venu voler des bijoux.

– Ah non ! J'espère que tu en as laissé un peu pour moi !

•

Un homme vient consulter son médecin. Celui-ci l'ausculte mais ne trouve rien d'anormal.

– Vous êtes sûr que vous êtes souffrant ? demande le docteur.

– Oui, enfin, je... C'est que, je suis écrivain, et je...

– Où est le rapport ?

– C'est bien simple, docteur, j'aimerais soigner mon style !

•

Un magicien se présente au patron d'un cirque :

– Monsieur, engagez-moi, je fais un numéro extraordinaire, jamais vu, une nouveauté incroyable !

– Ah oui ! Quel est ce numéro si spécial ?

– Je peux scier une personne en deux.

– Mais voyons ! Tout le monde a déjà vu ça !

– Dans le sens de la longueur ?

•

– Hé, Regarde ! Ton chien est en train de lire le journal !

– Non, non ! Il fait semblant. En réalité, il ne sait pas lire, il regarde juste les photos !

•

Une dame se présente au bureau de son assureur.

– Mon mari est mort. Je viens toucher le capital-décès !

– Mais Madame, votre mari ne s'était assuré que contre l'incendie !

– Justement, c'est pour cela que je l'ai fait incinérer...

•

Monsieur Laferme s’en va faire une promenade en forêt avec son ami monsieur Laguerre. Les deux copains se suivent dans un petit sentier. Soudain, monsieur Laferme se rend compte qu’il n’a pas entendu la voix de son ami depuis une demi-heure. Il se retourne, et s’aperçoit avec désespoir qu’il est

absolument seul. Il a perdu son ami. Vite, il prend son téléphone cellulaire et appelle le garde-chasse.

Celui-ci répond à l'appel du cellulaire :

– Allô ! Qui parle ?

– Laferme.

– Pardon ?

– Laferme.

– Je vous demande qui parle !

– Laferme.

– Dites donc, vous, cherchez-vous la guerre ?

– Oui.

•

C'est une fois deux newfies qui sont dans une cour d'hôpital psychiatrique le premier dit à l'autre d'aller voir si il y a une clôture pour se sauver. Au bout de 30 minutes le gars reviens et dit : Il y a pas de clôture, on ne peut pas se sauver.

•

Une pauvre tortue s'est fait piquer la tête par une abeille.

– Mon Dieu ! dit-elle, si ça continue à enfler, je vais devoir passer la nuit dehors !

•

Deux coureurs font du jogging sur la route. L'un demande à l'autre :

– Où vas-tu ?

– Je ne sais pas. Et toi ?

– Je ne le sais pas non plus.

– Alors, dépêchons-nous, on va arriver en retard !

•

Deux amis voyagent en train.

– Le conducteur est vraiment très fort, dit l'un d'eux.

– Pourquoi ?

– Chaque fois qu'on approche d'un tunnel, il vise parfaitement bien et envoie le train en plein milieu du tunnel !

•

Quand on croise un pigeon voyageur avec un perroquet, on obtient un oiseau capable de demander son chemin en voyage !

•

Un autobus plein à craquer descend une pente à toute vitesse. Un homme court derrière en essayant de le rattraper. Un passager l'aperçoit et lui crie par la fenêtre :

– Pauvre monsieur ! Vous n'y arriverez jamais ! Attendez le prochain !

– Je ne peux pas, répond-il, essoufflé, c’est moi le chauffeur !

•

– Est-ce que tu voudrais me donner ta photo ?

– Ma photo, avec plaisir ! Je suis flattée ! Où vas-tu l'accrocher ?

– Oh, je pensais la mettre dans le jardin pour faire peur aux oiseaux !

•

Ce sont deux atomes qui se rencontrent.

L'un dit à l'autre : « Merde, j'ai perdu un électron ! ».

L'autre : « T'es sûr ? ».

Et le premier répond : « POSITIVEMENT ! ! ».

•

Deux éducatrices de garderie sous-marine discutent :

– Ça t'a donc bien pris du temps !

– Ne m'en parle pas ! C'est moi qui ai été obligée de mettre les mitaines à la pieuvre !

•

– Mon médecin m'a dit de changer toute mon alimentation : finis la crème glacée, les croustilles, les gâteaux !

– Pauvre toi, qu'est-ce que tu vas faire ?

– Je vais changer de médecin !

•

Sur une route dangereuse de montagne, un automobiliste est arrêté par un motard :

– Méfiez-vous votre pare-chocs arrière est plié et touche presque par terre ! L'homme descend de sa voiture, regarde l'arrière et commence à pleurer à chaudes larmes.

– Allons, ce n'est pas grave, ne vous mettez pas dans des états pareils ! L'homme sanglote de plus belle :

– Ce n'est peut-être pas très grave pour vous, mais pour moi j'aimerais bien savoir où sont passé ma femme et mes enfants qui se trouvaient dans la caravane ?

•

Sur une tablette d'épicerie, un pain blanc demande à son voisin de tablette, qui est un pain brun :

– Mais, dis-moi, où as-tu passé tes vacances ?

•

Au restaurant :

– Garçon, pouvez-vous mettre mon repas sur ma carte de crédit ?

– Monsieur, je suis désolé, mais je ne pense pas qu'il y ait assez de place. . .

•

– L'autre jour, à l'aéroport, j'ai vu un pilote d'avion complètement soûl.

– Qu'est-ce qui te fait dire qu'il était soûl ?

– Il lançait des miettes de pain aux avions. . .

•

Une dame pour qui l'électricité n'a aucun secret se rend dans un magasin de bricolage et demande une prise de courant.

– Mâle ou femelle questionne le vendeur.

– Crétin, c'est pour une réparation, je ne vais pas faire de l'élevage !

•

Deux extraterrestres sont en mission sur la Terre. Ils se retrouvent sur un boulevard devant un feu clignotant et l'un des deux dit à son ami :

– Wow! As-tu vu la belle Terrienne qui vient de me faire un clin d'œil?

•

Aimes-tu les suçons?

– Non, pas tellement.

– Parfait, alors veux-tu tenir le mien pendant que j'attache mon soulier.

•

Un homme rencontre un vieux copain :

– Salut! Alors, es-tu toujours dans la marine?

– Pas vraiment. Tu sais que je travaillais dans un sous-marin?

– Oui.

– Eh bien, il a coulé!

– Comment ça?

– C'est arrivé quand j'ai organisé une journée portes ouvertes...

•

Deux écossais avant la messe parient à celui qui mettra moins que l'autre à la quête. Arrive le moment ou la brave bigote avance son panier. Le premier met une pièce de 1¢. Le deuxième s'avance et dit : C'est pour nous deux.

•

Viva et Vivo font une croisière du côté du Pôle Nord ; Viva tombe à l'eau, que lui arrive-t-il ?

– Viva gèle, bien sûr.

•

Dans la jungle, deux amis voient arriver un lion. Un des deux monte aussitôt dans un arbre. Son copain prend son fusil et vise le lion en tremblant.

– J'espère que je vais réussir à l'atteindre, dit-il en tremblant toujours.

– Pas grave ! lui dit son ami dans l'arbre. De toute façon, si tu le manques, il y en a un autre juste derrière toi !

•

Monsieur Pieuvre dit à madame Pieuvre en regardant leur fille sortir de la maison avec son nouvel amoureux: Regarde comme ils sont beaux quand ils s'en vont main dans la main, main dans la main, main dans la main, main dans la main...

•

Hier soir, j'ai mangé neuf sacs de croustilles.

– Neuf? Mais pourquoi pas dix?

– Me prends-tu pour un cochon?

•

Une petite fourmi rencontre une grosse fourmi et lui dit:

– Vous savez, vous êtes formidouble!

•

La prof: Quel est le futur de voler?

L'élève: Aller en prison.

•

Isabelle : Veux-tu voir quelque chose de drôle ?

Mireille : Oui !

Isabelle : Va regarder dans le miroir !

•

Un homme prend le taxi. Arrivé à destination, le chauffeur lui demande :

– 12 dollars, s'il vous plaît. Le client lui donne six dollars.

– Mais monsieur, je vous ai dit 12 dollars !

– Ben oui, je sais. Mais vous avez fait le chemin avec moi, non ? Alors, payez votre moitié !

•

L'histoire se passe au pays des esquimaux. L'un d'eux est suspecté d'avoir commis un meurtre. En ce moment même, il est interrogé dans le commissariat central.

Le policier : Alors que faisiez vous dans la nuit du 23 septembre au 21 mars ?

•

Victoria : Qu'est-ce qu'un paon ?

Julien : Je ne sais pas.

Victoria : C'est un oiseau qui a un arbre de Noël dans le dos !

•

Lu ce conseil dans un grand magasin, au rayon « pêche ». « Si vous n'avez pas la patience d'attendre une dizaine de minutes la venue d'un vendeur, surtout renoncez à la pêche à la ligne, car là il vous faudra attendre plusieurs heures pour attraper un poisson ».

•

Un jeune homme amoureux entre dans une boucherie et demande au boucher qui est très occupé :

– Monsieur, je viens pour vous demander la main de votre fille.

– Ah bon ! Avec ou sans os ? De demander le boucher distrait.

•

Une affiche vue à l'extérieur d'un planétarium : DES MILLIARDS DE FIGURANTS, TOUS DES ÉTOILES.

•

Un voleur est poursuivi par des policiers sur le toit d'un immeuble de quinze étages. Soudain il glisse et tombe dans le vide et se met à hurler :

– Je suis un voleur, arrêtez-moi !

•

Un gendarme arrête un automobiliste et lui demande de souffler dans l'alcootest.

– Jamais ! proteste le conducteur, outré, je n'ai aucune raison de souffler là-dedans !

– Alors !, dit le gendarme, je vais compter jusqu'à trois, et si à trois vous n'avez toujours pas obtempéré, je le ferai à votre place et là croyez moi, vous allez perdre au moins cinq points.

•

Deux fantômes discutent :

– J'ai entendu dire que tu t'es fait prendre en train de voler dans un magasin de meubles !

– Oui, et depuis ce temps-là, je suis dans de beaux draps !

•

Un monsieur trouve un pingouin dans la rue. Il arrête un policier qui passait par là et lui demande ce qu'il doit faire.

– Amenez-le au zoo.

– D'accord, monsieur l'agent. Le soir même, le policier est très surpris de croiser le même monsieur qui se promène avec le pingouin.

– Mais que faites-vous là ? Je vous avais pourtant dit, monsieur, d'amener le pingouin au zoo.

– C'est ce que j'ai fait, et je crois que ça lui a beaucoup plu. Alors ce soir j'ai décidé de l'amener au cinéma.

•

Un client s'étonne auprès de son coiffeur :

– Vous me proposez votre produit miraculeux pour faire repousser les cheveux, mais alors, pourquoi, vous-mêmes, êtes-vous chauve comme un œuf ?

– C'est que, dit le coiffeur, sans se démonter, j'utilise les lotions de mes concurrents pour prouver combien elles sont inefficaces.

•

Un monsieur assis dans un parc arrête un petit garçon qui passait par là.

– Excuse-moi, mon petit, quelle heure est-il ?

– Je ne sais pas.

– Euh... y a-t-il une horloge dans ce parc ?

– Je ne sais pas.

– Sais-tu à quelle heure a lieu le concert cet après-midi ?

– Je ne sais pas.

– Est-ce qu'il y a un gardien dans ce parc qui pourrait répondre à mes questions ?

– Je ne sais pas.

– Mais dis donc, toi, y a-t-il des choses que tu sais ?

– Oui, je sais que vous êtes assis sur un banc qui vient juste d'être peint !

•

Joanie : Hier, je suis allée faire un tour sur le mont Royal. Il y avait un petit écureuil qui n'arrêtait pas de me suivre !

Benoît : C'est sûrement parce que tu as de beaux yeux couleur noisette !

•

La maman offre à son petit un boomerang tout neuf. Et naturellement, il essais de jeter le vieux. Il essaie une fois, deux fois, trois fois. Il essaie encore et... Il essaie toujours.

•

Un peintre est en train de peindre un banc public dans un parc. Soudain, un clochard arrive et lui demande :

– Pardon, monsieur, pensez-vous que le banc sera sec vers sept heures ce soir ?

– Sans doute, de répondre le peintre. Mais pourquoi me posez-vous une telle question ?

– C'est parce que je suis fatigué et je voudrais me coucher tôt ce soir !

•

– Il me semble que j'ai déjà vu ton visage ailleurs.

– C'est peu probable, il a toujours été accroché en haut de mon cou !

•

– Wow ! T'es ben chanceux ! T'as ta télévision et ton Super Nintendo dans ta chambre !

– Oui !

– Est-ce que tu joues beaucoup ?

– Tous les jours !

– Tu dois être pas mal bon!

– Bof! Un jour ça va super bien, le lendemain, je suis pourri...

– T'as juste à jouer tous les deux jours!

•

Le client: Je perds mes cheveux à une vitesse folle. Il en tombe une grosse poignée chaque jour. Vous n'auriez pas un bon truc pour les garder?

Le coiffeur: Oui, tenez, une belle boîte vide!

•

Deux oiseaux voient passer une fusée.

– Oh la la! Tu as vu comme il va vite, ce drôle d'oiseau-là? Il est complètement fou!

– Peut-être que tu irais aussi vite si tu avais le derrière en feu comme lui!

•

Juste avant qu'il ne parte pour la Baie James, une femme dit à son mari :

– Surtout, chéri, n'oublie pas de m'écrire sans faute !

– Sans faute ! Mais voyons, tu sais bien que je ne suis pas très fort en orthographe.

•

Yannick et sa sœur s'en vont glisser en traîneau. Leur mère prévient Yannick qu'il devra partager le traîneau avec sa petite sœur.

– Ne t'inquiète pas, maman, j'y ai pensé. Moi je le prendrai pour descendre, et elle, elle le prendra pour monter.

•

Un homme aux jambes croches rencontre un bon matin son copain aux yeux croches. Celui-ci lui demande :

– Comment ça marche ?

– Comme tu vois !

•

Un gars arrive au ciel. St-Pierre lui demande qu'est-ce qui est arrivé. L'homme raconte alors l'histoire de la tragédie.

– J'étais en voyage en train de traverser un pont suspendu au-dessus d'une rivière infestée d'alligators. Soudain, le pont a cédé. Heureusement, tout le monde a réussi à s'agripper à la rampe. Cependant, nous étions trop nombreux et la rampe menaçait de céder à son tour. Le guide nous a dit alors que quelqu'un devrait se sacrifier et sauter pour libérer du poids un peu et ainsi sauver les autres de la tragédie. Alors un homme s'est laissé tomber dans la rivière.

– D'accord répond St-Pierre, mais que faites-vous ici si ce n'est pas vous qui s'est sacrifié ?

– Ah ça c'est parce que le guide nous a dit qu'un homme aussi courageux méritait une bonne main d'applaudissement...

•

C'est un client dans un restaurant qui appelle le garçon :

– Ah, non ! Garçon, remportez-moi cette langue de veau. Je n'aime pas ce qui sort de la bouche, C'est sale ! Tenez... Donnez-moi plutôt un Oeuf.

•

Deux chiens se rencontrent sur un coin de rue à Tokyo. L'un dit à l'autre :

– Jappons !

•

Deux vieux copains d'école discutent.

– Comment gagnes-tu ta vie ?

– J'écris.

– Tu écris quoi ? Des romans, des articles dans un journal, des télé-séries ?

– Non, j'écris des lettres.

– Et tu gagnes ta vie ainsi ?

– Oui, j'écris à mes parents pour qu'ils m'envoient de l'argent !

•

Christophe Colomb croyant découvrir les Indes, il appela les habitants : Les indiens. Heureusement qu'il n'a pas découvert la Crête, car nous nous appellerions les crétins!!!

•

– Pourquoi les joueurs de l'équipe de baseball du Japon n'ont pas réagi quand l'arbitre a dit : «La partie est remise à demain» ?

– Je ne sais pas.

– Parce qu'ils ne parlent pas français !

•

Deux copains discutent.

– Moi, quand je serai grand, je vais ouvrir un bar dans le désert.

– Mais tu es fou ! Tu n'auras pas un seul client dans le désert !

– Peut-être. Mais si jamais il y en a un, tu imagines la soif qu'il aura !

•

Deux chauffeurs de bus discutent.

– Tu sais que notre collègue a été licencié ?

– Vraiment ? J'en suis désolé, et pour qu'elle raison ?

– Eh bien, il est entré dans le bureau du patron sans frapper...

– Rien que pour ça, c'est un peu excessif comme cas de licenciement tu ne trouves pas ?

– Oui, mais...c'est qu'il est entré avec le bus.

•

– Pourquoi as-tu regardé par-dessus la clôture du voisin ?

– Ben, parce que je ne pouvais pas regarder au travers !

•

Deux copains discutent dans la cour de récréation.

– Combien as-tu de frère ?

– J'en ai un.

– Tu es sûr de ça ?

– Mais oui, franchement.

– C'est parce que j'ai posé la même question à ta sœur ce matin, et elle a répondu « deux ».

•

Deux copains conversent.

– Ma mère ne se sent pas très bien. As-tu une idée pour la soigner ?

– Tu pourrais peut-être lui donner de la mèrmelade ! (mère malade)

•

Monsieur Chose : Pour faire changement du homard, je suis allé pêcher à la truite. J'en ai attrapé une qui mesurait bien 40 cm de long !

Monsieur Untel : Oui, oui... Est-ce que des gens l'ont vue, la fameuse truite ?

Monsieur Chose : Oui, il y avait des témoins ! Sinon, tu peux être sûr qu'elle aurait mesuré au moins 10 cm de plus !

•

Au cours du souper, une mère demande à son enfant :

– Mon petit, est-ce que tu veux encore de la farce ?

– Non maman ! Je déteste la farce ! Je me demande bien comment a fait la dinde pour en manger autant !

•

Un employé à son patron.

– Monsieur, mon salaire n'est pas en rapport avec mes capacités !

– Oui, mais nous ne pouvons tout de même pas vous laisser mourir de faim !

•

Le grand patron fait le tour de son usine. Près d'une porte, il aperçoit un homme, assis, en train de lire le journal.

– Quel est votre salaire au juste ?

– Je fais trois cents dollars par semaine. Le patron sort son portefeuille.

– Voici trois cents dollars, dit le patron, fâché. Vous allez prendre la porte et je ne veux plus jamais vous voir dans cette usine.

– Bon, bon, d'accord...Le grand patron demande au contremaître :

– Comment se fait-il qu'on engage des gens aussi paresseux dans mon usine ?

– Mais cet homme ne fait pas partie de notre personnel. C'est le livreur qui nous apporte notre dîner !

•

– Je suis allée voir l'exposition où l'on présentait des photos.

– Ah oui ?

– Les tiennes sont les seules que j'ai regardées !

– Oh, je te remercie beaucoup !

– Oui, il y avait toujours du monde devant les autres...

•

Deux chasseurs de lions se promènent dans la brousse africaine. Tout à coup, l'un deux s'enfonce dans une trappe de sable mouvant. Affolé, son compagnon court au village le plus proche.

– Au secours ! Aidez-moi ! Mon ami est tombé dans le sable mouvant.

– Mais calmez-vous ! lui dit un habitant du village. D'abord, quand vous l'avez quitté, jusqu'où était-il enfoncé ?

– Jusqu'aux chevilles.

– Bon, vous voyez qu'on a encore le temps ! Ça ne sert à rien de s'énerver !

– Oui, mais il est tombé la tête la première !

•

Docteur, il y a l'homme invisible dans votre salle d'attente.

– Soyez gentille mademoiselle, dites-lui que je ne peux pas le voir maintenant.

•

Josée : Que mange un monstre après s'être fait faire un plombage ?

Andrew : De la pizza ?

Josée : Non, le dentiste.

•

Deux très vieux messieurs se retrouvent après des années.

– Robert ! Quelle joie de te revoir ! je croyais bien être le seul survivant dû Bataillons ! Comment as-tu fait pour échapper au carnage ?

– Un coup de chance ! Le capitaine a crié : « tous à la baïonnette ». Et moi j'ai compris : « tous à la camionnette ! »

•

Très inquiet, un homme va consulter un ophtalmo :

– Docteur, chaque fois que je bois un café, j'ai une douleur intense à l'œil gauche.

– Ce n'est rien... Pensez seulement à enlever la petite cuillère !

•

Dialogue entre deux amis.

– Tu sais, j'ai vingt ans de mariage et pourtant c'est toujours la même femme que j'aime !

– Ah ! quelle chance tu as ! C'est beau la fidélité !

– Oui. Mais garde ça pour toi. Si jamais quelqu'un l'apprend à ma femme ça va être ma fête !

•

Chez le médecin.

– Que puis-je faire pour vous ?

– Oh, docteur, ça va mal !

– Quel est votre problème ?

– Depuis quelque temps, je me sens toujours épuisé, j'ai mal au ventre, à la tête !

– Y a-t-il autre chose ?

– Oui, c'est même rendu que j'ai de la difficulté à mettre un pied devant l'autre !

– Pauvre vous ! Vous auriez dû venir en voiture !

•

La femme, au magasin : Je voudrais avoir un joli stylo bleu.

Le vendeur : Certainement, madame. C'est une surprise pour votre mari ?

La femme : Je comprends que c'est une surprise ! Il croit que je vais lui offrir un ordinateur.

•

– Mon chien est tellement intelligent ! Je suis sûre qu'il a un cerveau plus gros que la normale !

– Ah bon ! Un de vous deux a donc un cerveau !

•

Quand tu fais de la chute libre, tant que tu vois les vaches comme des fourmis, il n'y a pas de danger. Quand tu commences à voir les vaches comme des vaches, il est temps d'ouvrir ton parachute... Et quand tu vois les fourmis comme des vaches... Il est trop tard !

•

– Mais qu'est-ce que tu as à pleurer comme ça ?

– C'est parce que snif... snif...

– Quoi ?

– Ma sœur... snif !

– Qu'est-ce qu'elle a, ta sœur ?

– Elle a des vacances, snif et moi je n'en ai même pas. Pauvre toi, ce n'est vraiment pas juste. Pourquoi tu n'as pas de vacances ?

– Je ne vais pas encore à l'école.

•

Marius raconte sa chasse au lion à Olive.

– Je suis dans la clairière, je vois le lion, j'épaule, je tire, et je le rate ! alors le lion me voit, et il me court après.

– Oh, et il te rattrape et il te bouffe ?

– Mais non ! je cours, je cours, je vois un arbre et je monte à l'arbre, et le lion, il grimpe aussi.

– Oh, et il te rattrape et il te bouffe ?

– Attend, je monte tout en haut de l'arbre, mais le lion, il monte aussi...

– Oh, et il te rattrape et il te bouffe ?

– Mais attend je te dis, il y a une grosse branche, je rampe sur la branche pour m'éloigner du tronc, mais le lion, il rampe aussi...

– Oh, et il te rattrape et il te bouffe ?

– Oh mais dit, Olive, tu es pour moi ou tu es pour le lion ?

•

– Sais-tu qu'à nous deux, on pourrait faire un dictionnaire !

– Ah oui, tu crois ?

– Absolument, avec mon intelligence et ton épaisseur.

•

Monsieur Leblanc est au guichet de la salle de spectacles pour acheter un billet de concert.

– Ce sera vingt dollars, monsieur, lui dit la caissière.

– Alors je vous donne dix dollars, car j'entends juste d'une oreille.

•

Le commis d'hôtel : Monsieur, pourriez-vous enlever la boue de vos chaussures avant d'entrer dans votre chambre ?

Le vagabond : Quelles chaussures ?

•

Françoise est en auto sur l'autoroute avec son père. Le conducteur devant eux roule comme une vraie tortue ! Son père s'impatiente et s'écrie :

– NON MAIS QUEL IMBÉCILE ! IL SE CROIT SEUL SUR LA ROUTE OU QUOI ?

– Mais papa, tu n'as qu'à changer de voie ! Le père murmure alors :

– Non mais quel imbécile ! Il se croit seul sur la route ou quoi ?

•

Deux homme discutent :

– Hier soir, un seul verre de bière m'a rendu complètement soûl !

– Ce n'est pas possible ! Un seul ?

– Oui, le huitième !

•

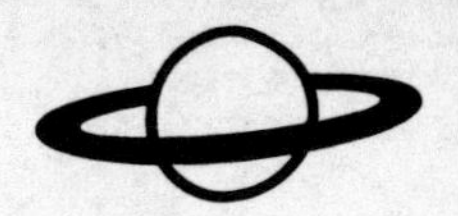

Un homme revient au même guichet de cinéma pour la quatrième fois. La caissière est vraiment très étonnée et lui demande ce qui se passe.

– C'est parce qu'à chaque fois que j'entre et que je passe devant le portier, cet idiot déchire mon billet, répond-il.

•

Un jour un curé se met en colère devant ses ouailles très surprises. Il commence son sermon en disant :

– Mes enfants, nous nous réunissons ici depuis plusieurs jours pour prier le bon Dieu de nous envoyer de la pluie.

– Mais comment voulez-vous, homme et femmes de peu de foi que notre seigneur nous exauce ! Pas un seul d'entre vous n'a apporté de parapluie !

•

– J'ai connu mon amoureux grâce à la poste.

– Tu veux dire que c'est un garçon avec qui tu correspondais ?

– Non, je veux dire que c'est le facteur.

•

– Je commence à en avoir assez.

– De quoi ?

– De parler en dormant.

– Mais c'est naturel, tout le monde fait ça un jour ou l'autre.

– Ouais, mais pas en pleine classe.

•

Deux vieilles connaissances se rencontrent.

– Cette nuit, je n'ai pas pu dormir à cause d'une rage de dents. Est-ce que ça t'arrive à toi ?

– Jamais. Mes dents et moi ne dormons pas ensemble.

•

Un newfie voulait distraire un ami aveugle. Il l'a amené dans un cabaret de strip-tease pour qu'il écoute la musique !

•

Simon : Je suis allé en vacances à la montagne cet été.

Nicole : Moi aussi !

Simon : L'écho était fantastique ! Quand je criais une phrase, il la répétait au complet !

Nicole : Ce n'est rien, ça ! Là où je suis allée, quand je criais une question, l'écho me répondait !

•

Deux ennemis jurés sont en pleine bagarre.

– Toi, mon espèce de patate, attends donc que je te montre de quel bois je me chauffe !

– Ce ne sera pas nécessaire, chez nous on chauffe à l'électricité !

•

Je te donne de l'argent pour t'acheter un nouveau nez.

– Pourquoi ?

– Parce que le tien a des trous !

•

Sur un chantier, un ouvrier tombe du cinquième étage, et se retrouve allongé dans la rue. Un attroupement se forme, et la police arrive sur le lieu de l'accident.

– Qu'est-ce qui se passe ? Alors, l'ouvrier qui gît au sol entrouvre les yeux et murmure d'une voix faible.

– Je n'en sais rien. J'arrive !

•

C'est l'équipe de foot qui part jouer en Afrique. Dans l'avion le commandant de bord n'arrête pas de sentir l'avion bouger dans tout les sens, il appelle l'hôtesse.

– Qu'est-ce qui se passe derrière ?

– Oh rien ! C'est l'équipe qui s'entraîne…

– Faites ce que vous voulez, il faut que ça s’arrête... L’hôtesse s’en va... au bout de cinq minutes de calme le commandant rappelle l’hôtesse.

– Que leur avez-vous dit pour obtenir le calme si rapidement ?

– Je leur ai dit d’aller jouer dehors...

•

Une vieille dame est assise juste en face d'un jeune garçon qui mâche consciencieusement son chewing-gum. La vieille dame se penche soudain vers lui.

– C'est très gentil à vous de me faire la conversation. . . Mais je suis sourde !

•

Natacha : Mon nouvel amoureux est merveilleux ! Il a les yeux de Roch Voisine, les cheveux de Richard Séguin, la bouche de Roy Dupuis et, quelquefois, la voiture de son père !

•

Deux citrons discutent.

– Tu es bien jaune!

– Es-tu sûr?

•

Un pâtissier dont le chiffre d'affaire s'abaissait dangereusement, pose l'enseigne suivante à la porte de son commerce: Ici, le meilleur pâtissier de Montréal. Le lendemain, un concurrent situé sur la même rue, décide de poser lui aussi une enseigne qui dit: Ici, le meilleur pâtissier du Monde. La semaine suivante, après avoir longuement réfléchit, un concurrent affiche sur la porte de son commerce: Ici, le meilleur pâtissier de la rue!

•

Un hélicoptère de l'armée canadienne c'est écrasé dans un cimetière de la ville de Toronto. Jusqu'à maintenant, ils ont retrouvé cinq cent corps.

•

Un médecin fait un voyage de tourisme en Palestine. Sur le bord du Lac Tibériade, il y a un bateau-passeur qui fait la navette d'un côté à l'autre du lac pour le plaisir des touristes. Le médecin décide donc d'emprunter ce moyen de transport. Il se présente donc pour payer.

– Ça fera cinquante dollars, monsieur.

– Cinquante dollars pour traverser ce lac en quinze minutes ! C'est du vrai vol !!!

– Oui mais Monsieur, vous connaissez la Bible n'est-ce pas ? C'est ici que Jésus a marché sur les eaux !

– Je le comprend, au prix que vous chargez !!!

•

Le prof : Qui peut me dire pourquoi les bélugas sont en voies d'extinction ?

Thomas : Parce qu'il n'y a pas de bélufilles.

•

Le chien : Je suis tellement content de ne pas être un oiseau !

Le chat : Mais pourquoi ?

Le chien : Parce que je pourrais me faire très mal !

Le chat : Comment ça ?

Le chien : Parce que je ne sais pas voler !

•

Chez le dentiste :

– Je vais devoir te geler un peu.

– Qu'est-ce que ça fait au juste ?

– C'est un peu comme si j'endormais tes dents pour un moment.

– Ah bon, d'accord. Mais vous me promettez qu'elles vont se réveiller pour souper ?

•

– Ma voisine est tellement maigre que quand elle boit du jus de tomate, on l'appelle le thermomètre !

•

– Sais-tu qu'il est arrivé un drame chez mon grand-père ?

– Non, quoi ?

– La semaine dernière, il y a eu un gros orage et tous ses moutons sont morts !

– Quoi ! Ils ont été frappés par la foudre ?

– Non, pas tout à fait... Ils sont morts étouffés quand la laine a rétréci après la pluie...

•

Une maman et ses douze enfants arrivent au zoo trop tard pour voir la girafe qui est déjà rentrée. Elle insiste auprès du gardien :

– Je suis pourtant venue spécialement pour la montrer à mes douze enfants...

– Ils sont à vous, tous ? Alors c'est différent. Je vais aller la chercher. Il faut absolument qu'elle voit ça !

•

Le médecin dit à son patient :

– Vous êtes vraiment nerveux, trop tendu, trop stressé... Il ne faut pas vous coucher avec vos soucis.

– J'aimerais bien suivre votre conseil, docteur, mais ma femme me tuerait si je lui demandais de dormir ailleurs !

•

Sabrina : Sais-tu pourquoi le corbeau croasse ?

Denis : Non.

Sabrina : Parce qu'il n'a rien à dire !

•

Deux serpents discutent dans le désert :

– Pauvre toi, ça n'a vraiment pas l'air d'aller ce matin !

– Bof... je suis rentré très tard hier soir et j'ai la gueule de boa... (gueule de bois)

Autres thèmes dans la collection

BLAGUES À L'ÉCOLE (3 livres)
BLAGUES EN FAMILLE (4 livres)
BLAGUES AU RESTO (1 livre)
BLAGUES AVEC LES AMIS (6 livres)
INTERROGATIVES (4 livres)
DEVINETTES (1 livre)
BLAGUES À PERSONNALISER (3 livres)
BLAGUES COURTES (2 livres)
BLAGUES CLASSIQUES (1 livre)
BLAGUES DE NOUILLES (2 livres)
BLAGUES DE GARS ET DE FILLES (2 livres)

CONCOURS

Presque aussi drôle qu'un Ouistiti!

On te dit que tu es un bouffon,
un(e) petit(e) comique,
un drôle de moineau?
Peut-être as-tu des blagues
à raconter? Envoie-les-nous!
Tu auras peut-être
la chance de les voir publiées!

Fais parvenir ton message
à l'adresse qui suit:
Droledemoineau@editionsheritage.com

À très bientôt...